U0061177

大開眼界小百科

古代文明的奧秘

新雅文化事業有限公司
www.sunya.com.hk

大開眼界小百科
古代文明的奧秘

作者：朱麗亞‧卡蘭德拉‧博納烏拉（Giulia Calandra Buonaura）、
阿萊格拉‧帕尼尼（Allegra Panini）、馬里奧‧托齊（Mario Tozzi）
插圖：亞哥斯提諾‧特萊尼（Agostino Traini）

翻譯：陸辛耘

責任編輯：劉慧燕

美術設計：何宙樺

出版：新雅文化事業有限公司

香港英皇道499號北角工業大廈18樓

電話：(852) 2138 7998

傳真：(852) 2597 4003

網址：http://www.sunya.com.hk

電郵：marketing@sunya.com.hk

發行：香港聯合書刊物流有限公司

香港新界大埔汀麗路36號中華商務印刷大廈3字樓

電話：(852) 2150 2100

傳真：(852) 2407 3062

電郵：info@suplogistics.com.hk

印刷：中華商務彩色印刷有限公司

香港新界大埔汀麗路36號

版次：二〇一七年七月初版

版權所有‧不准翻印

All names, characters and related indicia contained in this book, copyright of Franco Cosimo Panini Editore S.p.A.,
are exclusively licensed to Atlantyca S.p.A. in their original version. Their translated and/or adapted versions are
property of Atlantyca S.p.A. All rights reserved.
No part of this book may be stored, reproduced or transmitted in any form or by any means, electronic or mechanical,
including photocopying, recording, or by any information storage and retrieval system, without written permission
from the copyright holder. For information address Atlantyca S.p.A.

ISBN:978-962-08-6838-2
© 2008 Franco Cosimo Panini Editore S.p.A. - Modena - Italy
© 2017 for this book in Traditional Chinese language - Sun Ya Publications (HK) Ltd.
Published by arrangement with Atlantyca S.p.A.
Original Title: Le Curiosità Della Storia
Text by Giulia Calandra Buonaura, Allegra Panini, Mario Tozzi
Original cover and internal illustrations by Agostino Traini
18/F, North Point Industrial Building, 499 King's Road, Hong Kong
Published and printed in Hong Kong.

嘿！你準備好跟我一起去旅行了嗎？

在這趟旅程中，我貓頭鷹導遊將帶你去探尋歷史的趣聞：我們會從恐龍和原始人的世界出發，然後去揭開古埃及人、古希臘人、古羅馬人的秘密，接着去見證騎士間的決鬥，經歷海盜的冒險，最後……再去探秘美洲印第安人的傳統！

如果你覺得我的講解有些複雜，那就請你仔細看看插畫，你會發現一切都變得容易許多。為了幫助理解，我還把難懂的詞語變成了紅色：如果你遇到這樣的詞彙，而你不知道它的意思，就請翻到「詞彙解釋」這一頁上去尋找答案。

另外，在看完每一章後，我們都可以稍作休息，利用每章末尾的圖或提示文字回顧一下旅程中的一些重點。

祝你旅途愉快！

目 錄

 # 恐龍

千萬年前，這個世界上還沒有人類，那時的地球住滿了恐龍。這是一種近似於蜥蜴的動物，腦袋很小，但體形卻相當龐大——比一輛巴士還要大。牠們行動緩慢，腳步也相當沉重。真正的恐龍是生活在陸地上的，不過牠們中有一部分學會了在水裏游泳，甚至還有一些飛上了天空。不管怎樣，那個時候的地球，並沒有多少空間留給其他的動物。如果你身處當時的地球，你會發現目之所及的全都是大小不同、種類各異的恐龍。

可是到了某一天，恐龍們突然全體消失不見了，而且從那以後，就再也沒有出現過。

你想知道恐龍們究竟去了哪裏嗎？那就翻到下一頁，馬上進入史前世界一探究竟吧！

副櫛龍

戟龍

劍龍

古巨龜

地球上住滿恐龍的那個時候，氣候遠比現在炎熱得多。你能想像嗎？那時的南極和北極，幾乎都沒有冰塊！

這樣炎熱的天氣，最受草食性恐龍歡迎了。牠們幾乎每天都會一邊曬太陽，一邊不停地吃東西。可是，牠們必須打起十二分精神來，因為肉食性恐龍同樣也在覓食，所以隨時都有可能向牠們發起攻擊。

有史以來體積最大的恐龍叫做「迷惑龍」，牠們的動作相當遲緩。因為牠們的體形龐大，所以別的恐龍很難對牠們構成威脅。不過，如果向牠們發動攻擊的是暴龍，那就另當別論了。

貓頭鷹告訴你

草食性恐龍必須一刻不停地吃東西，把食物轉化為能量，從而保持身體的溫度。你知道嗎？牠們每周所吞下的蔬菜、樹葉和樹枝總量，甚至可以達到牠們自身重量的好幾倍呢！

無齒翼龍

迷惑龍

麝足獸

原角龍

兩頭正在覓食的伶盜龍

暴龍的體形雖然較迷惑龍細小，但牠們長期處於飢餓的狀態，而且還擁有尖刀一般的鋒利牙齒。對迷惑龍來說，另一個難纏的對手是伶盜龍。別看牠們塊頭不大，速度可是相當驚人。最要命的是，牠們擁有匕首一般的指甲，而且習慣集體出動覓食。

迷惑龍

暴龍

恐龍的種類多不勝數：有些像是今天的蜥蜴；有些長着我們完全陌生的模樣；有些頂着巨大的獸角，頭骨還被一種類似面具的東西團團圍住；有些拖着長滿尖刺的尾巴，可以對敵人造成致命傷害。

恐龍會在自己的窩裏下蛋，並將一隻隻蛋圍成一個圓形。恐龍蛋的底部是橢圓的，並不像雞蛋那樣圓。當小恐龍從蛋殼裏探出腦袋時，恐龍媽媽會繼續照顧牠們一段時間，直到牠們學會進食和自衞。

喙嘴龍的尾巴

迷惑龍的尾巴

劍龍的尾巴

甲龍的尾巴

原角龍

始祖鳥

戟龍

異齒龍

劍龍

三角龍

　　然而，到了某天，所有的恐龍居然全體消失了！之所以會這樣，可能是因為火山長時間噴發，產生了大量的火山灰，又或者是有顆隕石撞擊地球，揚起了大片的塵土，所以遮擋了陽光。一旦沒了陽光，地球就會變得異常寒冷。而恐龍呢，和所有的爬行動物一樣，都喜歡炎熱的天氣。由於牠們無法適應這樣的氣溫變化，便一頭接著一頭地死去，直到滅絕。

貓頭鷹告訴你

　　有人認為，恐龍是又大又笨的野獸。其實，牠們一點兒也不笨。牠們懂得像哺乳動物那樣，以群居的方式生活在一起。在牠們生存的千萬年間，完全沒有其他動物能夠對牠們產生威脅。

　　可是，既然在世界上的任何一個地方都沒再出現過活着的恐龍，我們又怎麼會知道牠們長什麼模樣呢？其實，有關恐龍的所有資訊，都是通過化石進行重建的。目前發現恐龍化石的地區主要集中在美洲、亞洲和歐洲。

貓頭鷹告訴你

　　多年來，在意大利始終都沒有發現過任何恐龍的遺跡，直到九十年代，人們在意大利南部的坎帕尼亞大區挖掘出一頭肉食性小恐龍的化石。這個小傢伙在地球存在了超過一億年，還擁有一個相當複雜的拉丁語名字，因此人們給牠取了個簡單的綽號叫「Ciro」。

一旦找到了某個樣本的全部骨骼，就有可能重新建立起牠的完整骨架，並在這個基礎上，想像出牠的肌肉、眼睛，還有耳朵。許多的恐龍骨架都在世界各國的自然歷史博物館裏展出，使我們能夠一目了然地看清牠們的結構。

有時候，被找到的可能並不是恐龍的骨頭，而是牠們的爪印。這些印記能夠提供給我們許多資訊，告訴我們究竟是什麼樣的恐龍留下了它們。舉個例子：如果我們看到的是指甲印，那就說明牠一定是頭肉食性恐龍；可如果是類似肉墊的痕跡——就像貓爪——那它的主人就是一頭草食性恐龍了。

巨大的足跡化石

異特龍

在許多電影中，我們都看到過科學家用一滴血把恐龍復活的場景。究竟這滴血是從哪裏來的呢？它是由蚊子的身體保存下來，而這隻蚊子，又被困在了樹脂裏。其實，要想讓一頭長達二十米的巨型野獸重新復活，單憑幾塊化石碎片是很難做到的。我們首先必須確定那是一頭恐龍的血液，而不是被蚊子叮咬的其他動物。可是，即使我們能創造出科學家口中的「複製恐龍」，我們也無法預測牠究竟會是一頭怎樣的動物……

保存在一塊琥珀中的
史前蚊子

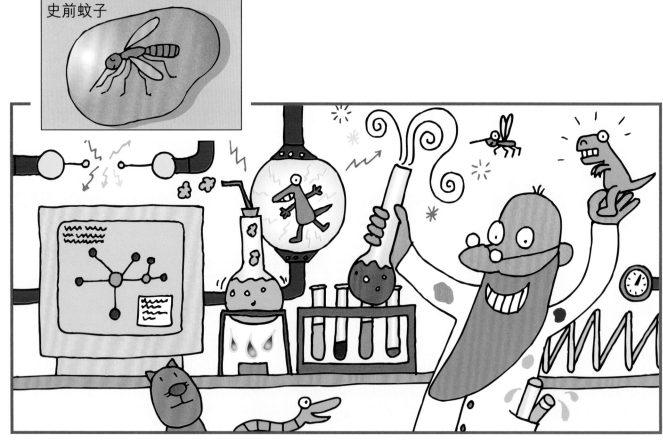

你想想，如果那是一頭肉食性的巨型恐龍——說不定還飢腸轆轆，那將會發生怎樣可怕的事？我們能給牠吃些什麼？而如果，牠想吃的偏偏就是我們呢……

貓頭鷹告訴你

其實，我們也不用太過擔心，因為說不定恐龍根本就沒有完全消失。事實上，有一種我們非常熟悉的動物，和牠們十分相像，那就是——鳥類！要知道，恐龍可是鳥兒們真正的祖先呢！

現在就讓我們回顧一下與恐龍相關的知識。你懂得回答以下的問題嗎？說說看。

① 史上最大的恐龍是……

② 最兇猛的恐龍是……

③ 所有的恐龍都是怎樣出生的？

牠們為什麼消失了呢？

牠們是否留下了些什麼？

誰能使牠們復活？

草食性　草食性動物是指以植物（比如花、草、樹根等）作為食物的生物。蝸牛、綿羊、山羊，部分昆蟲，某些魚類、鳥類和爬行動物，都屬於這一類。

肉食性　肉食性動物是以其他動物或動物屍體作為食物的生物。獅子、土狼，部分昆蟲、魚類、鳥類和爬行動物，都屬於這一類。

隕石　外太空星體爆裂後的碎塊。如果體積較小，在進入地球運行軌道的時候，它們會燃燒形成流星；如果體積稍大，則會在地球上爆炸。

爬行動物　脊椎動物的一種，主要生活在氣候炎熱或溫暖的地帶。世界上總共有六千五百多種爬行動物，常見的有烏龜、鱷魚、蜥蜴和蛇。

化石　古生物（動物或植物）存留在地裏的遺體、遺跡，可能是骨頭，可能是貝殼，也可能是簡單的足跡。

樹脂　是一種來自多種植物，特別是松柏類植物的分泌物。有些科學家相信樹木生產樹脂是為了密封傷口，以殺死昆蟲及防止真菌入侵等。但到目前為止，還沒有一個肯定的答案。

原始人

如果有一隻動物能夠告訴我們，牠眼中的人類究竟是什麼模樣，那麼牠很有可能會說：他們都長得差不多呀！可是在我們的眼裏，根本不是這樣。你看，中國人和非洲人怎麼可能一樣？歐洲人和愛斯基摩人之間也有好大的差別。

上面提到的這些，都是不同的人種。但實際上，我們人類屬於同一個物種，叫做「智人」，而直到二十多萬年前，人類才剛開始出現在這個地球上。比起印度象（體形小、耳朵小）和非洲象（體形大、耳朵大）之間的巨大差異，亞洲人和非洲人之間的不同，可要小得多了。

智人

可是，人類究竟是怎樣誕生的呢？人類究竟是從哪裏來的呢？而誰又是我們真正的祖先呢？

幾百萬年前，有一羣大猴子在非洲東部的叢林裏活躍生活。牠們喜歡居住在高高的樹上，但也會經常躍到地上尋找食物（即使待在樹上會讓牠們更有安全感）。事實上，很久很久以前（至少是三千萬年前），猴類就出現在地球上，而牠們中有一些已經和人類很相似，被稱為「猿」。猿不僅在非洲相當普遍，在印度和歐洲的數量也不少。不過，猿的化石卻是在另一種動物的附近被發現的。這種動物被我們稱為「類人猿」，因為牠們和人類非常相似。

類人猿的骨架化石

猿　　　南方古猿　　　尼安德塔人　　　智人

　　後來，這些動物慢慢地消失了，但是從同一個族羣又誕生了南方古猿：早在五百萬年前，牠們就已經遍布非洲的東部和南部。南方古猿和人類很像，不過，直到二百萬年前，世界上才出現了第一批「人」的代表，也就是我們真正的「父母」，而許許多多的「叔叔」、「阿姨」、「表兄」、「堂弟」，最終都沒能進化成人類。

　　從非洲的大猴子開始，這種動物經歷了「巧人」、「直立人」和「尼安德塔人」的階段，最終進化成「智人」。

貓頭鷹告訴你

　　既然全人類都源自相同的祖先，即屬於相同的物種，那麼在任何情況下，我們都不應認為歐洲人就比非洲人優越，美洲人就比亞洲人好，反之亦然。從本質上説，我們都是一樣的。

早在二百萬年前，「人」這個類別中的個體就已經和生活在他們周圍的猿類（大猩猩、黑猩猩）產生了顯著的區別，這種區別尤其體現在一種特殊的能力上——就是製作並運用工具或是武器。從這方面來說，燧石和黑曜岩可算是幫了他們大忙：只要在一塊普通的石頭上不停地用力擊打，它就會碎裂，然後慢慢變得像刀片一樣鋒利；再經過粗略的加工，它就能被製成簡單的石器，切割動物骨架中最堅硬的部分。要知道，那時的原始人已經能夠從土狼或禿鷹的身上取下骨頭了。沒錯！畢竟在剛開始的時候，我們的祖先還不會打獵嘛！他們依賴動物的骨骼為生，把較長的骨頭敲碎，然後吸吮裏面的骨髓，從中獲得能量。

以前，他們只吃自己在熱帶草原裏採來的果實、種子和樹根。自從有了工具之後，他們也逐漸開始吃起肉來。

直到稍晚一點的時候，原始人才學會了在土地耕種和打獵。起初，他們只是獵捕弱小的動物；但後來，當他們開始集體打獵並使用武器，他們的食物也就變得越來越豐富了。原始人的武器從簡單磨尖的石子，到經過加工的尖頭和刀片，最後發展成了矛和箭。

貓頭鷹告訴你

人們在埃塞俄比亞發現了一具南方古猿的骨架。即使骨架並不完整，但仍能推斷出它的主人是個女性，死時應該在二十歲左右。古生物學家把她叫做「露西」（Lucy）。雖然她算不上是我們的「祖母」，卻絕對是我們真正的祖先。

　　從外貌來看，原始人和我們有着巨大的差異：他們比較矮，身材較為結實；他們的臉雖然已經發育成熟，但是腦袋有些扁，額頭平直，眉毛又彎又粗，鼻子寬闊，牙齒要比我們強健，卻幾乎沒有下巴。

　　不過，和猴子相比，「人」的身體已經有了一個最明顯的進步，便是可以依靠雙腿站立；也就是說，人可以採取直立的姿勢，而不是像猴子那樣，要通過四爪進行移動。這種姿勢能使人在草原上看得更遠，並更好地進行自衛，抵禦危險。很快，「直立人」就取得了許多新的優勢，比如取火。

　　掌握取火技術，是人類的一項重大突破：有了火，就可以烤製和加熱食物、在黑暗中照明，還能驅趕兇猛的野獸呢。

在坦桑尼亞鬆軟的火山灰裏，古生物學家發現了一串原始人的腳印，有大人的，也有一個孩子的。他們發現，其中一位大人的足印要比其他的都深，所以推測，是那個孩子覺得好玩，所以每走一步，他都將自己的腳踩在身前那個大人留下的足印上。

在人類還沒學會取火的時候，只能設法保存偶然出現的火焰——比如當閃電擊中大樹的時候。後來，有人也許是為了製作工具，在摩擦兩塊燧石的時候，擦出了點點火星，而火星又掉落到樹葉堆或是乾草堆上，於是便起了火。從那一刻開始，人類便能隨時取火了。

在很長的一段時間裏，地球一直處於人煙稀少的狀態，和今天完全兩樣。這是因為當時的人們很難生存：他們不得不和兇猛的野獸進行鬥爭，還要面臨許多的危險，並要適應氣候的變化，尤其是對抗冰河時期的嚴寒。在我們看來，原始人的汗毛明明很濃密，可是，他們畢竟沒有其他動物那樣的皮毛，所以根本抵擋不住嚴寒的侵襲。為了保持體溫，他們開始製作衣服：起先他們只是殺死動物，把牠們的皮毛披在肩上。後來，他們學會了把魚刺當針，將幾塊皮毛縫在一起。

另外，在一開始的時候，原始人並沒有房子，也沒有棚屋，他們全都居住在天然的洞穴裏，點火取暖，並驅趕野獸。如今，在那些洞穴的岩壁上，人們發現到了一些有關動物和狩獵場景的圖畫，那正是我們祖先的作品。

他們把炭塊當作鉛筆，把由泥土和植物做成的物質當作顏料。

後來，人類搭起了最早的一批木屋。從那時起，他們便在這個星球上不斷地建立殖民地，並完成了一件其他任何動物都從未做到過的事——那就是根據自己的需求不斷改變周圍的環境，直到將它徹底地改造。

貓頭鷹告訴你

那未來的人類又會是什麼模樣呢？有人預測，他們會變得很高、很瘦，幾乎沒有汗毛，小鼻子、大眼睛。不過要知道真正的答案，那得過上好幾萬年才行！

現在就讓我們回顧一下與原始人相關的知識。你懂得回答以下的問題嗎？説説看。

原始人是從什麼演變過來的？

他是怎樣走路的呢？

他製造出來的第一批工具
是什麼？

他發明了什麼成為了一項
重大的突破？

他穿的衣服是怎樣的呢？

他居住在什麼地方呢？

29

詞彙解釋

猿 與人類相近的靈長目動物，體形龐大（重量可達三百公斤，身高可達兩米），包括猩猩、黑猩猩和大猩猩。

南方古猿 與人類極其相似的動物，無論是身體和臉部特徵，還是步伐。他是所有人類早期的祖先。

燧石 矽質岩石，顏色多樣（從黑色到紅色都有），容易打碎和加工，被用來製成各種尖銳和鋒利的工具。

黑曜岩 深色或黑色的火山岩，容易被加工，只要用相近的石頭進行敲擊就會碎裂，可用以製成刀片。

冰河時期 在地球上頻繁出現並持續很久的時期。每當這一時期來臨，氣溫就會急劇下降，被冰塊覆蓋的面積也會迅速增加。

建立殖民地 在古代，建立殖民地主要是指在原先無人居住的城市或區域建造村落。

古埃及人

你是否認識這些雄偉的歷史建築呢？

它們叫「金字塔」。也許你已經知道，它們坐落在埃及，也就是非洲的北部。

最著名、也是最重要的金字塔羣位於一座叫吉薩的城市，它在埃及首都開羅的附近。在那裏，你還可以看見斯芬克斯，也就是一座巨大的獅身人面像。

你心裏一定在想：這些建築物該有多麼古老！沒錯！要知道，早在四千五百年前，它們就已經建造完成了，當時可動用了好多好多的人力呢！

你還想知道更多有關金字塔和獅身人面像的故事嗎？
那就翻到下一頁，馬上進入古埃及人的世界一探究竟吧！

你知道嗎？古埃及人的社會結構，簡直像極了金字塔！你看下圖，位於塔頂的是法老，他在所有人之上，幾乎被奉為神明。

僅次於法老的是和法老議事的官員、祭司、擁有土地和財富的貴族，以及書吏——這是當時唯一識字並能寫作的階層。

再往下，是士兵、工匠和醫者。

位於最底層的則是奴隸，他們往往是戰爭囚犯，被用作苦力。此外，還有在宮殿侍奉的僕從，以及農民。

法老

官員、祭司、貴族、書吏

士兵、工匠、醫者

奴隸、僕從、農民

研磨

　　有一條河在埃及穿過，它叫「尼羅河」。

　　在尼羅河兩岸的田地裏，農民們種植了許多穀物——比如大麥和二粒小麥，它們被研磨後，能用來製作麵包和烤餅。此外，古埃及人也種植果樹和亞麻。每年當尼羅河氾濫的時候，河水就會淹沒田地，並留下一層淤泥。這層淤泥會使土地更加肥沃，也更利於農作物的生長。

　　在河水氾濫、沒有農活可幹的三個月裏，農民們會搭建房子、廟宇和墓穴，或是飼養動物，比如母牛、山羊、鵝、驢子，還有蜜蜂。

　　古埃及人會利用灌溉系統，讓河水能隨時輸送到田地。

貓頭鷹告訴你

　　古埃及的書吏會使用蘆葦筆，蘸黑色或彩色的墨水，在紙莎草紙上書寫。紙莎草是一種生長在尼羅河畔的特殊植物。

金字塔內部

墓室

　　那麼，金字塔到底是什麼呢？簡單來說，它們就是雄偉的墓穴，用來安放法老去世後的遺體。這些古跡可是用不計其數的石灰石建造起來的，這種石頭在吉薩的附近就可以開採。而最初金字塔的四個側面還覆有一層潔白無瑕的光滑石灰石，這種石頭在很遠的地方才有，只能通過船隻沿着尼羅河運到工地。有了這層岩石，金字塔的表面便會反射太陽的光芒，簡直像極了鏡子呢！不過，後來因久歷風霜和人們私自採鑿，金字塔表面的這些石灰石現已所餘無幾了。

　　你能想像嗎？有一位叫「胡夫」的法老，他的大金字塔用了整整二十年才完工。其實，每一位法老王都會在活着的時候花費巨大的精力去建造自己死後的墓穴。進入金字塔後，要穿過一條條狹窄的走廊，才能抵達墓室。存有法老遺體的棺材就保存在墓室裏，那裏還有各種奇珍異寶、精美的雕塑、布匹和裝飾品。

在古埃及人看來，人死後會在另一個世界復活。正因如此，他們才會為法老和富人的屍體製作木乃伊，這樣，那些人的靈魂就可以歸來，繼續居住在自己的身體裏。

要把屍體製作成木乃伊，總共需要大約兩個月的時間。首先要把屍體在鹽水池裏浸泡四十天，然後為它塗上香料和樹脂，並用亞麻布進行包裹。這種技術也被用於動物屍體的保存，比如貓咪或者猴子。接着，人們會用船把法老的棺材運到金字塔外，再放進墓室。當一切就緒之後，會由祭司關上墓穴並仔細檢查，這樣，就沒有人再能接近法老和他的寶藏了。

貓頭鷹告訴你

獅身人面像是直接在一座山丘上鑿刻而成的。它的臉龐可能是根據法老卡夫拉的面貌而做，這位法老就安葬在附近的一座金字塔裏。此外，在最初的時候，這座雕像的全身是被塗滿顏色的。

古埃及人信奉的神有許多。這些神表現為人的身體，卻長着動物的腦袋。比如：阿努比斯，他長着胡狼的頭，是墓地守護神和木乃伊製作神；索貝克是尼羅河水神，頂着鱷魚的腦袋；愛情女神哈托爾，則形似母牛。

　　古埃及的神廟往往都裝飾着巨大的雕像和方尖碑。方尖碑就好像一根巨大無比的針，由一整塊石頭加工而成。神廟的外面總有一個由柱子圍成的區域，對所有人開放，但它的內部，卻只有男女祭司才可以進入。

　　神廟的石壁上刻滿了象形文字和各種圖案，是無數工匠的心血。每位工匠都有明確的分工，比如繪畫、上色或是雕刻。

　　與金字塔和神廟相比，普通百姓的房子可要簡單許多。他們把泥巴放到太陽底下烘曬，形成泥磚，然後就能用它來蓋房子了。房子的內部陰涼昏暗，只用很少的木製家具進行裝飾。

　　你知道嗎？古埃及人的壽命很短，所以女孩一般在十二、三歲的時候就已經嫁人，男孩成婚的年紀則是十四、五歲。

　　只有富裕人家的孩子才可以上學，其他孩子則在家裏跟着父親學習手藝。

　　至於女性，她們的任務是照顧孩子和家庭、務農、做麵包、釀啤酒，還有織布。有些人也去貴族家庭做傭人、樂師或是舞孃，還有一些則成為了女祭司。

貓頭鷹告訴你

　　刻在古埃及神廟石壁上的象形文字，許多都是動物圖案。直到今天我們才知道，每個圖案其實都對應了一個單詞或是一種發音，比如：貓頭鷹的圖案代表「M」的發音，蛇的圖案則是「J」。

　　多虧了廟宇和墓穴裏的裝飾圖案和紙莎草紙上的記載，我們才能了解到古埃及人的興趣愛好。那時的富人都喜歡欣賞歌舞表演，而最常見的樂器要數笛子、豎琴、鼓和鈴鐺。他們常常請跳舞的、變戲法的，還有耍雜技的人到家中作客，用美酒、佳餚，還有花環招待他們。

　　打獵是當時最流行的休閒方式之一。古埃及人用弓箭或是一種類似飛鏢的工具在沼澤地裏獵捕鳥類。此外，他們還訓練狗或是土狼，幫他們捕捉羚羊。

　　在一天中最炎熱的時段，古埃及人喜歡沉浸在桌上遊戲裏。那時的他們，已經在使用遊戲盤、棋子和奇怪的三角形骰子了。

　　古埃及的男性十分熱衷體育鍛煉，比如拳擊、劍擊，還有摔跤。

孩子們經常在戶外活動，進行拔河比賽，或是像雜耍人那樣，耍玩用木頭或陶瓷做成的陀螺和木球。他們的玩具甚至還包括木頭玩偶和布娃娃。

游泳是古埃及人共同的愛好。富裕人家的孩子有專門的老師為他們上課，學習仰泳或自由泳。不過，有時游泳也是件危險的事，因為在尼羅河裏，可居住着不計其數的鱷魚還有河馬呢！

貓頭鷹告訴你

古埃及人十分喜歡動物。你知道嗎？他們可是世界上最早的養貓人。此外，他們還馴養狗、獵豹和鳥兒。在貴族家庭的花園水缸裏，甚至還養着五顏六色的小魚！

現在就讓我們回顧一下與古埃及人相關的知識。
你懂得回答以下的問題嗎？說說看。

官員、祭司、貴族、書吏

士兵、工匠、醫者

農民、僕從、奴隸

1 在古埃及人的世界裏，誰是位於金字塔頂端的人呢？

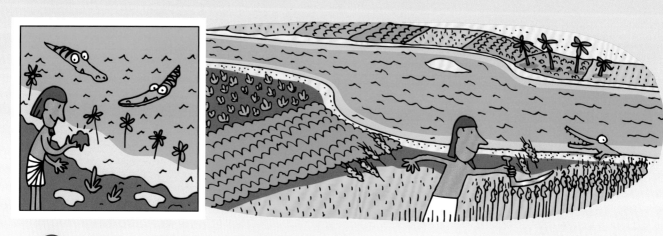

2 古埃及人的田地為什麼會如此肥沃呢？

3 金字塔是法老們的墓穴，它們是用什麼建造的呢？

④ 要製作木乃伊，必須為屍體塗上香料，還得用什麼東西進行包裹呢？

⑤ 古埃及人的消閒娛樂活動，包括欣賞歌舞表演、玩桌上遊戲，還有什麼？

⑥ 古埃及的廟宇是用石頭建造的，那普通百姓的房子又是用什麼材料搭建的呢？

法老 　古埃及的國王。起初這個詞語是指國王居住的宮殿，到了後來才被用來指代國王本身。

祭司 　畢生侍奉神的人。他們也學習數學和天文。

研磨 　將固體物質化為較小顆粒的工序。為了研磨不同物質，人類發明出各種研磨器，包括手動的臼，由動物、風力或水力推動的磨坊，以及由電力驅動的電磨等。

灌溉系統 　一種網路系統，由挖鑿而成的溝渠組成，用來將水輸送到農田。

棺材 　由石頭、大理石或木頭製成的箱子，點綴着各種裝飾和圖案，用來存放人去世後的遺體。

象形文字 　一種書寫符號。其中的一些就像我們今天的字母表，對應單個的字母，另一些則對應某個發音或是詞語。

古希臘人

你是否認識這座著名的歷史建築呢？

　　也許你知道它是一座古希臘的 神廟 ，說不定還在旅行社的廣告上見過好多次呢。沒錯！這幢奇特非凡的建築物名叫「巴特農神殿」，坐落在希臘的首都雅典。

　　它是專門供奉雅典娜的神廟。雅典娜是誰呢？她是古希臘人信奉的戰爭與智慧女神。最初，這裏還裝飾着許多雄偉的雕像，有英雄、有諸神、有怪物，還有少女。

　　你想知道巴特農神殿為什麼會這樣有名嗎？那就翻到下一頁，馬上進入古希臘人的世界看看吧！

希臘到處是山，很難耕種；而它的四周，則環繞着數百座大大小小的島嶼。所以，古希臘人在很早以前就學會駕船出海，去其他國家尋找他們無法耕種的作物。

在這些國家，古希臘人不僅購買小麥，還出售他們自己生產的橄欖油、葡萄酒、蜂蜜，還有彩繪花瓶、寶劍和布匹。他們從不缺少優秀的工匠！

隨着時間的推移，古希臘人逐漸在地中海沿岸建立起許多的殖民地，尤其是在西西里島和意大利南部——那些最富庶也是最強大的殖民地組合在一起，形成了大希臘。

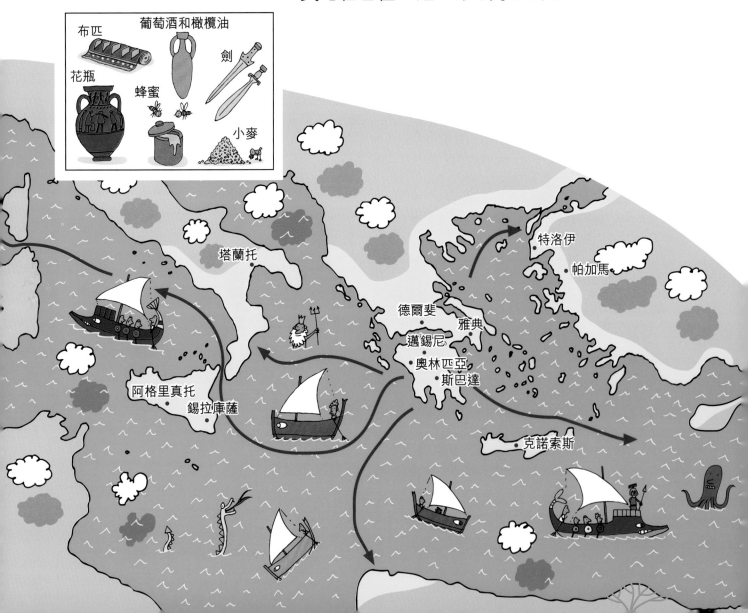

古希臘人飼養各種動物：山羊和豬被當作食物；綿羊可以生產羊奶和羊毛；牛、馬和驢則被用來拉車犁地。

由於希臘天氣炎熱，所以工匠和農民在工作的時候，幾乎都不穿衣服。平日最常見的服裝是長衫：它類似於汗衫，男性穿的會長到膝蓋，女性穿的則會拖到腳踝。另外，他們也會在肩上圍上披風，並用胸針把它固定。

男人會在外工作，去劇院看戲，參加宴會；富裕家庭的女性很少外出，只會專心撫養兒女；至於普通家庭的婦女，則往往在田間勞動。

貓頭鷹告訴你

為使商品買賣變得更加簡單，古希臘人很早就開始使用字母表。以後，從希臘語的字母表又產生出拉丁語的字母表，也就是我們今天常見的字母。

富有人家的住宅通常有好多個房間，而且全部面向中央庭院。每個房間都有不同的功能，工作間——比如廚房——往往會遠離休息區。此外，女人和孩子的房間也是和男人分開的。幾乎所有的富貴家庭都擁有奴僕。

　　至於窮人，就只能住在空間極其有限的小房子裏。他們的房子是由石頭、泥土和木頭搭建而成的。

　　古希臘人的生活主要在戶外度過。他們常常流連於城市中央廣場的市集，或是港口和街巷裏工匠的店舖。

一幢豪宅

雅典

斯巴達

　　每一座古希臘城市都按照一個小型的國家進行組織，擁有各自的法律和特殊的習俗。但無論是在哪座城市，人們都十分重視對孩子的教育，即使他們各有各的方法。

　　不過，一般來說，只有男孩才去學校，而女孩通常都在家接受教育。在雅典的學校，除了學習閱讀、寫作和算術，孩子們還得學會正確地思考和講話。而斯巴達呢，因為總是與鄰近的城市發生戰爭，所以那裏的男孩早在七歲時就必須加入軍隊。這就意味着他們不得不遠離家庭，去軍營裏生活。此外，在許多城市都有好幾所特殊的學校，教授一門特殊的學科。沒錯！那就是誕生在古希臘的哲學。

貓頭鷹告訴你

　　古希臘人的飲食方式極其簡單：每餐都包含一塊大麥和小麥烤餅，再配上一份肉、一份魚或是一塊山羊乳酪。

雅典娜女神

古希臘人信奉的神靈有很多。他們相信，眾神居住的地點是奧林帕斯山。為了向眾神表達敬意，古希臘人建造了一座又一座的神廟。它們並不對普通百姓開放，只有祭司才能進入。

這些神廟的顏色鮮豔奪目，絕不是我們今天所看到的白色。在神廟內部，安放着它專門供奉的神靈的雕像，還有祭壇。每當祭祀時，古希臘人就會焚燒香料和花朵，宰殺並燒烤用來獻祭的動物，比如白色的公牛。

你知道嗎？在巴特農神殿裏，原先有一尊巨大的雅典娜雕像，是用金子和象牙做成的，只可惜如今它已經不在了。

古希臘人信奉的神和凡人極為相似。他們擁有和凡人一樣的習慣和情感，比如恨、愛、嫉妒、喜悅。但和凡人不同的是，眾神永生不死，而且還擁有特殊的能力。

宙斯

阿佛洛狄忒

雅典娜

阿波羅

對古希臘人來說，雅典娜是一位相當重要的女神，所以為了向她表示敬意，雅典人便請當時最有名的藝術家建造了這座巴特農神殿，也是整個希臘最輝煌的神廟。它聳立在雅典衛城上，從海上就能望見它的雄姿。此外，在它四周也圍繞着一批壯觀的建築。

至於宙斯──眾神之父，古希臘人也同樣為他建造了許多雄偉的廟宇。還不止於此！為了向他致敬，古希臘人組織了全世界迄今為止最重要的運動會──奧林匹克運動會。和今天一樣，這場盛會每四年舉辦一次，吸引了來自整個希臘及其殖民地的男性運動員參賽。他們在不同的比賽中互相角逐，比如跑步、賽馬、拳擊、摔跤、擲鐵餅和標槍。

古希臘人將大部分的閒暇時光都花在運動和娛樂之上。幸好有那些流傳至今的詩文和畫在花瓶上的圖像，我們才能了解到，原來古希臘人擁有這樣廣泛的愛好，比如玩球、游泳、賽馬和拳擊比賽。在古希臘，另一項十分普及的活動是用弓箭獵捕鹿和野豬。為了進行射擊訓練，他們甚至會利用木頭或金屬做成靶子。

孩子們的玩具主要由木頭和陶土製成，有圓球、小動物，還有陀螺。小男孩喜歡坐着木船漂浮在水面上，小女孩則喜歡拿着洋娃娃、小鍋子、小桌子和小牀玩模仿家庭的遊戲。

玩具

　　富裕的家庭常常組織宴會，而通常只有男士才可以參加。客人們除了能欣賞由樂師、舞者和雜技演員帶來的歌舞表演之外，還能參加各種遊戲、猜謎活動和詩歌比賽。「銅盤遊戲」就是其中較為流行的一種：在宴會接近尾聲的時候，客人會把杯中剩下的葡萄酒灑向一個銅盤，而銅盤高高置於一根杆子的頂端。誰能敲響那個銅盤，就算獲勝。

貓頭鷹告訴你

　　古希臘人酷愛戲劇，常常組織戲劇競賽。每到這時，詩人們就會爭相把各自創作的悲劇或喜劇搬上舞台。所有人都可以免費觀劇，而演員只能是男性，表演時還會用面具遮住臉。

現在就讓我們回顧一下與古希臘人相關的知識。
你懂得回答以下的問題嗎？説説看。

1 古希臘人向其他國家的人出售橄欖油、葡萄酒和蜂蜜，那他們會購買些什麼呢？

2 雅典的孩子和斯巴達的孩子，他們所接受的教育有什麼不同？

3 古希臘人信奉的眾神居住在什麼地方呢？

④ 只有什麼人可以進入神廟？

⑤ 奧林匹克運動會是為了向哪位神靈表達敬意？

⑥ 古希臘人喜歡以什麼方式度過他們的閒暇時光？

神廟 祭司們進行祭祀、向天神表達敬意的地方。

工匠 把原材料製造成有用產品的工作者，比如把陶土製成花瓶。

大希臘 古希臘人在意大利南部建立的一系列殖民地的總稱，其中最重要的城市有塔蘭托、阿格里真托和錫拉庫薩。

奴僕 他們往往是戰犯，沒有自由，被迫從事最粗重的工作，或是在富裕的家庭裏當傭人。

哲學 一門學科，專門研究人類如何思考與行動。

奧林匹克運動會 當時的奧林匹克運動會舉辦會期共五天，首兩天是祭神日，第三、四天為運動會比賽，最後一天則為頒獎日及慶祝活動。

古羅馬人

你知道這座著名的歷史建築是什麼嗎？

　　如果你曾經到過羅馬旅行，你應該參觀過它；而且在意大利使用的五分錢歐元硬幣上，你也會見到它。

　　它是佛拉維歐圓形劇場，當然，它還有一個更響亮的名字——「羅馬鬥獸場」。它是由古羅馬人在將近兩千年前所建造的。

　　羅馬鬥獸場是全世界最大的古羅馬劇場。你能想像嗎？它歷時十年才竣工，可以容納多達五萬名觀眾，就和今天的一些足球場一樣大。

　　你想知道為什麼會有這麼多遊客去參觀鬥獸場嗎？那就翻到下一頁，馬上進入古羅馬人的世界一探究竟吧！

在古羅馬時代，城市裏的人口已經逐漸密集起來，處處充滿了生活氣息。古羅馬的城市，中心都是一座巨大的廣場，四周圍繞着公共建築和廟宇。

在廣場上工作的有政客、法官，還有律師。此外，祭祀眾神的儀式也會在那裏舉行。離廣場不遠的地方坐落着市集，在那裏人們不僅可以購買肉、魚、蔬菜、水果、甜點、陶罐、盤子、首飾、布匹，而且還能買到動物和奴隸。

此外，街道兩旁還林立着工匠們的店舖、供人們吃喝的酒館、洗衣店，以及理髮店。

多姆斯

因蘇拉

　　在古羅馬，最富有的人是貴族。早在這座城市建立之初，他們的家族就已經在這裏生活。除了貴族，在平民（也就是普通百姓）中，也有不少富人。他們和家人還有僕人一起，共同生活在一幢寬敞的房子裏，而這種房子叫做「多姆斯」。

　　在一座多姆斯中，所有房間都位於底層，並且面朝中央庭院。庭院裏總會有一個四方形的水池，用來收集雨水。

　　較為貧窮的人則和其他家庭一起合租在一幢兩至三層的房子裏。你能想像嗎？在這種名叫「因蘇拉」的住宅裏，居然連洗手間都沒有！居民必須跑去街道上的公共廁所才行。

貓頭鷹告訴你

　　在古羅馬的世界裏，最粗重的工作都由奴隸來做，而他們往往是戰爭中的囚犯。

現在還是讓我們回到圓形劇場的話題，看看它們究竟是什麼？

事實上，它們是舉行演出的地方，而且是古羅馬人最愛觀看的演出——殘酷的決鬥。決鬥雙方可能是兩名角鬥士，或是兩頭動物（比如熊、獅子和鹿），又或者是角鬥士和死刑犯。你知道嗎？鬥獸場還裝有一種特殊的移動平台，可以把角鬥士和動物直接從地下運送到競技場地裏。一些圓形劇場甚至還能注水，變成巨大的泳池，上演水戰。

不過，千萬別以為，古羅馬人只愛觀看這樣暴力的演出！要知道，在所有的古羅馬城市裏，都有劇院的存在，而登台演出的可以是演員、樂師和舞者。另外，還有馬戲場，專門舉行賽馬和各類體育比賽。

劇院

　　今天，在歐洲的許多城市、非洲各地，以及近東地區，你依然能見到這些古老的劇場、劇院，以及馬戲場的遺跡。事實上，在所有曾經征服過的國家和城市裏，古羅馬人都建造過演出場所、街道、引水渠、廟宇和公共建築。

　　而且，有一種建築從來都不會缺少，那就是溫泉浴場。當時的人們爭相去浴場洗澡、做健身運動、按摩或蒸桑拿，生意人更是喜歡在那裏約見朋友和客戶。要知道，溫泉浴場大多氣派非凡，還裝飾着閃亮光潔的大理石、馬賽克、雕塑、噴泉和鏡子。

貓頭鷹告訴你

　　圓形劇場、劇院和馬戲場裏的演出，雖然組織成本很高，但都免費向公眾開放。然而，要進入浴場，所有人都得買票。這種價格低廉的票叫做「洗浴券」。

在古羅馬，只有男孩才能上學。他們在小學學習算術、拉丁語閱讀和寫作。課堂設在老師的家裏或是戶外。學生們每天要上六小時的課，每上完九天課，就能放一天假。他們不用筆和紙書寫，而是在薄蠟覆蓋的木板上，用尖銳的棍子刻出字母和數位。做算術的時候，他們使用手指，或是一種類似算盤的工具：這種工具由一塊木板和幾道標有數位的溝槽組成，而溝槽裏可以嵌入不同數量的小石子。十歲時，孩子們已經開始閱讀並學習拉丁語和希臘語的詩歌。在小學的最後一年，則要學習修辭，也就是公開演講的藝術。

到了十七歲時，他們已被當作成人看待。這時，他們會在長衫外頭罩上一件羊毛寬袍，裹住身體，只露出右肩。

女孩們都在家學習怎樣成為賢妻良母，通常也會接受閱讀和寫作的訓練。事實上，女性的主要職責是撫養兒女、照顧家庭，即使有時她們也會為丈夫的工作出謀劃策。

貓頭鷹告訴你

古羅馬人用拉丁語進行交談和書寫。不過，在征服了希臘之後，那些受教育程度較高的古羅馬人也開始學習希臘語。富裕的家庭還會把孩子送往希臘雅典，讓他們在那裏完成學業。

其中一種桌上遊戲

　　不用上學的時候，孩子們喜歡在戶外玩用陶瓷或木頭做成的陀螺和小球，套圈圈、騎木馬、踩高蹺，還有放風箏。男孩們常常拿着木製的武器「打仗」；女孩子呢，則會用木頭或布料做成的洋娃娃，以及陶瓷餐具玩模仿家庭的遊戲。

　　成人在不工作的時候，也會在室內和戶外享受各種娛樂活動。古羅馬的温泉浴場通常都設有圖書館，所以他們可以在那裏看書或是聽別人讀詩歌。許多人熱衷游泳和射箭；在士兵中，滾球遊戲相當流行。此外，古羅馬人也酷愛類似跳棋、象棋、圈叉連線這樣的桌上遊戲。

當城市裏沒有表演可看的時候，富人們就會和朋友一起去鄉間別墅居住，在那裏狩獵或釣魚，散步或閱讀。他們還會在別墅舉辦熱鬧的聚會和豐盛的晚宴，而當時最具特色的菜餚應要數睡鼠肉和蜜汁烤孔雀了。樂師、舞者和雜耍演員的精彩表演永不間斷，直到第二天黎明，客人才盡興而歸。

貓頭鷹告訴你

在古羅馬時期，只有富人才可以每天吃肉。尋常百姓的食物以豆子和穀物湯（比如大麥或二粒小麥湯）為主。早餐大多包括麵包、乳酪、乾果和牛奶。當時還沒有糖，所以人們食用的是蜂蜜。

現在就讓我們回顧一下與古羅馬人相關的知識。
你懂得回答以下的問題嗎？說說看。

1 角鬥士們的決鬥在哪裏舉行？

2 政客、律師和法官都在哪裏工作？

3 窮人住的房子叫「因蘇拉」，那富人住的房子又叫什麼呢？

④ 古羅馬人都去哪裏洗澡、做健身運動呢?

⑤ 小女孩在家接受教育,那麼小男孩呢?

⑥ 在閒暇時間,大人們和孩子們會有什麼娛樂活動?

角鬥士　在圓形劇場進行決鬥的人，多以一把短劍作為武器。他們通常都是在專門學校經過嚴格訓練的奴隸。

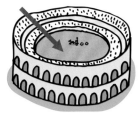

競技場地　舉行決鬥的地方，地面由沙子覆蓋。

引水渠　一種公共設施，可以把水從一個地方輸送到另一個地方。

溫泉浴場　古羅馬的公共浴場一般有三個主要部分，包括熱水浴室、溫水浴室和冷水浴室；有些甚至還有乾和濕的蒸汽浴室，十分講究。

長衫　長款的汗衫，古羅馬男性的長衫通常會到大腿，並在腰部的地方收緊；女性的長衫沒有袖子，並長至腳踝。

烤孔雀　是古羅馬時期，盛宴中的壓軸大菜，古羅馬人認為能夠飛到空中的飛禽是最高檔的食物，比陸生和水生動物矜貴。

騎士與城堡

　　身穿華麗耀眼的鎧甲，頭頂威風凜凜的羽飾頭盔，手持盾牌，腰間配劍……騎士駕着英勇的戰馬，飛馳着離開城堡，投身到了一項全新的光榮使命中！

　　要知道，「Cavalier」（騎士）這個詞源於拉丁語，意思就是「騎馬的人」。可是騎士究竟是些什麼人呢？他們為什麼要戰鬥？他們又是怎樣生活的呢？

　　想知道答案，那就翻到下一頁，跟我一起開始這段穿越之旅，回到遙遠的中世紀去吧！

很久很久以前，人們都是在地面上進行戰鬥的。當時的馬匹只是用來傳遞消息，或是追擊逃跑的敵人。可是到了公元八世紀時，誕生了馬鐙這項發明。這是一對掛在馬鞍兩側的腳踏，大大提高了騎士在馬上的穩定性，使他們可以做出原先完全不可能做出的動作，並徹底改變了他們的作戰方式。就這樣，馬匹和騎士合二為一，變成了一件強大的武器。

起初，所有人都能成為騎士，但是後來，就只有貴族的孩子才有可能獲得這項榮譽。在八歲時，這些孩子會被送去宮廷充當侍童，並學習閱讀、寫作和騎馬，接受嚴格的訓練。他們唯一可以玩的遊戲是用木劍進行格鬥：這種類比訓練讓他們日後能迅速進入戰鬥狀態。到了十五歲時，年輕的侍從會成為護衛，為主人擦兵器、舉盾牌。與此同時，他們也將學習榮譽感和信守承諾的重要性。

馬鐙的功用

受封儀式

只有最英勇、最具天賦的護衛才能在他二十歲那年成為騎士，並參加受封儀式。這可是年輕人生命中相當重要的時刻！屆時，領主會在整個宮廷或是其他騎士的見證下，將劍、盾牌和頭盔交到他手裏，宣布他成為騎士，並用劍在他的後背或是肩膀上輕輕敲打一下。

此時，騎士也會立下莊重的誓言，承諾忠於自己的領主，為領主而戰，並濟窮扶弱。你想想看，那該是多麼激動人心的時刻呀！

貓頭鷹告訴你

單單一名騎士就可以擁有三匹馬：第一匹是劣馬，用作交通工具；第二匹是在打獵或進行馬上比武時騎用的馬，通常十分敏捷；第三匹是戰鬥時用的駿馬，由於要同時承受騎士和盔甲的重量，所以牠必須非常強壯，還要經受嚴格的訓練，能在混戰中服從主人的命令。

穿上盔甲的騎士

經過受封儀式後，護衞就正式成為騎士了。為了顯示身分，他必須穿上符合自己階級的服裝。那麼，騎士的服裝究竟是什麼樣的呢？

起初，他們所穿的是鎖子甲，也就是一件由整整三萬個圓環織成的長衫，重量足足有十公斤！許多年後，盔甲取代了鎖子甲：它類似甲殼，是用鋼做的，從頭到腳覆蓋全身，可以抵擋敵人的攻擊。

騎士的右臂必須輕盈又靈活，這樣才能握劍進行決鬥，所以在右臂的位置上，保護層又輕又薄。相反，左臂往往會成為敵人攻擊的目標，所以它的保護層十分厚實。騎士的頭部由頭盔保護，頭盔上帶有面罩。長劍和短刀都連着一根鍊條鎖在盔甲上，這樣它們就不會在打鬥中丟失。馬兒也同樣穿着鎧甲，那是用一塊塊大金屬片拼成的。

盾牌上有各種花紋

不過，要擁有一副這樣完整的盔甲，恐怕只有富人才能做到，因為它的價格就和今天的豪華房車一樣昂貴。

可是，既然所有人都被金屬包裹得嚴嚴實實，那麼在混戰中，又怎樣來區分對方到底是同盟還是敵軍的騎士呢？這時，識別記號就顯得不可缺少了。事實上，每一名騎士都會養成一個習慣，那就是為自己的盾牌塗上鮮豔的顏色，這樣一來，即使是在遠處也能看得一清二楚了。對於懂得解讀的人來說，盾牌上這些由顏色和花紋組成的紋章彷彿會說話一樣，能夠告訴我們騎士所屬的家族、階級和地位。

貓頭鷹告訴你

你知道嗎？在十四世紀時，盾牌上的圖案已經相當複雜，所以必須求助真正的行家——紋章傳令官才行。他們是辨別紋章的專家，頗受當時的君王和領主青睞。

十三世紀時，騎士制度到達了它的鼎盛時期。在軍事層面上，騎士們主導了戰爭；在社會層面上，他們又受到所有人的尊敬。騎士已經成為一種形象，代表着許多重要的品格和特質，比如勇氣、榮譽感、忠誠，還有禮貌（也就是得體的舉止）。

　　總之，在那時期，成為騎士就意味着能夠承擔光榮的任務，並獲得無上的榮耀。聽起來可真不錯吧！

　　那麼，在沒有任務或是不打仗的時候，騎士們都做些什麼呢？他們又住在什麼地方呢？

　　他們中的許多人都住在自己領主的城堡裏。大約在九至十世紀，城堡剛出現時其實是一種相當簡單的木建築，往往聳立在一座山頭上，又或是隱藏在一條小溪的深處。只是這樣的建築，很容易被火燒毀。

早期的城堡

正在驅趕匪徒的騎士

　　到了十一、二世紀，隨着騎士盔甲的不斷改進，城堡的結構也發生了變化：材料從木頭變成了石頭；四周築起了足足八米厚的圍牆；城門前開挖了護城河，甚至還配備了吊橋。至於它的內部，則增加了城塔，以便在遭到圍攻時進行自衛。城堡裏有領主的房間，有僕人和工匠的住所，有馬廐和倉庫，甚至還有小教堂。你能想像嗎？一座城堡的落成，可能需要長達四十年的時間呢！

貓頭鷹告訴你

　　在法國勃艮第附近的一片樹林裏，一羣工人接受了一項巨大的挑戰，那就是使用中世紀時期的材料和技術，建造出一座真正的城堡。這項工作持續了超過二十年，整個工地對外開放，成為了遊客參觀的景點。

城堡中的盛宴

  騎士往往都在氣候宜人的季節打仗，而到了冬天，他們通常都會回到城堡，進行不同的休閒活動，比如狩獵、參加宴會，還有追求貴婦人。

  城堡裏也會舉行一項重要的賽事，那就是「馬上比武」。許多著名的騎士都會遠道而來，挑戰當地的勇士。這是騎士們翹首盼望的約定，因為他們可以遇見許多當世的重要人物。對騎士來說，馬上比武可是一個展現實力和勇氣的絕佳機會。比武在寬闊的室內場地進行，而在場地上方觀看比賽的，通常都是一些富人和貴婦。騎士們在比武中所使用的兵器，必須是沒有尖頭的劍，或是特殊的矛，這樣才不會對對方造成傷害。至於最後的獲勝者嘛，自然會贏得巨大的榮譽和一筆豐厚的獎金。

  就這樣，在很長的一段時間裏，騎士一直是歷史大舞台上的主角。

新式武器

大炮

火繩槍

　　到了中世紀末期，火藥的發明改變了城堡的外觀，因為它們的設計不足以抵擋火器的攻擊。與此同時，這也宣告了騎士時代的終結，因為即使擁有再超凡的勇氣、再堅韌的盔甲，他們也無法與火繩槍和大炮相抗衡……

　　然而，騎士們的光榮事跡，並沒有隨着時間的流逝而被人遺忘。直到今天，這些光輝的形象依然活在大人與孩子們的想像之中。

貓頭鷹告訴你

騎士帶給了作家無限的遐想，並化身為一個個精彩故事的主角，比如亞瑟王和圓桌騎士。你是否曾聽過他們的故事呢？

現在就讓我們回顧一下與騎士相關的知識。
你懂得回答以下的問題嗎？說說看。

誰能成為騎士呢？

怎樣才算正式成為一名騎士？

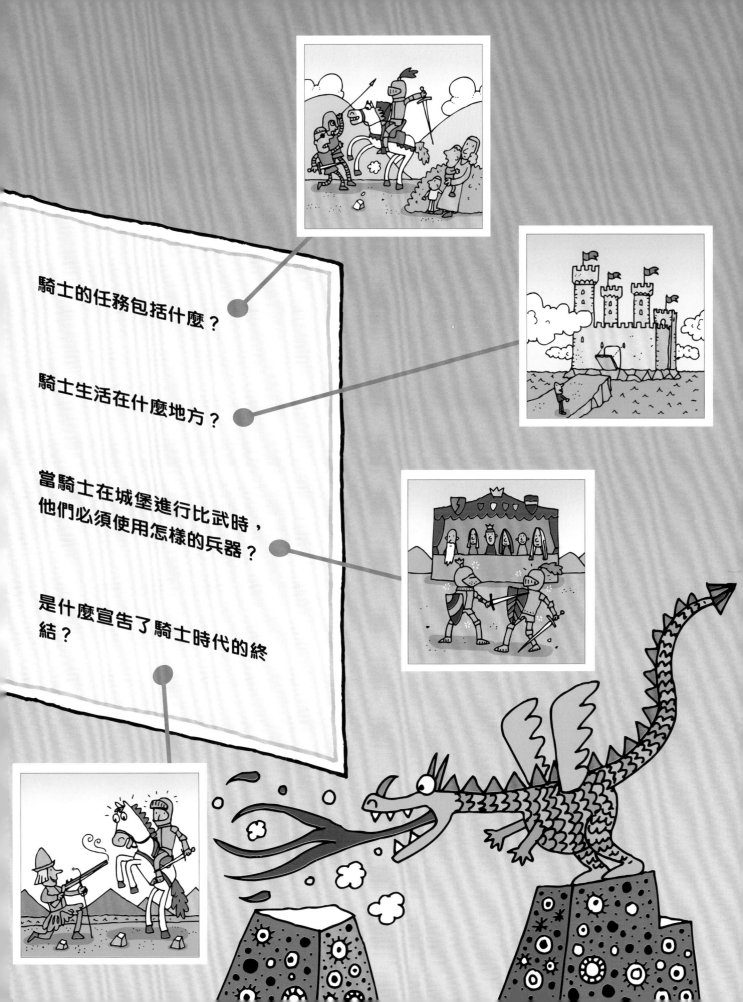

騎士的任務包括什麼？

騎士生活在什麼地方？

當騎士在城堡進行比武時，他們必須使用怎樣的兵器？

是什麼宣告了騎士時代的終結？

階級　一個人在社會中所處的等級，類似於樓梯上的台階：台階越高，身分越是尊貴。

同盟　互相達成協定的個人或團體，為了一個共同的目標而並肩作戰。

紋章　其構圖和用色有嚴格的規定。辨別紋章對於今天我們做歷史考證，例如斷定古物的由來和鑑定其年代很有幫助。

吊橋　只有一端固定的橋，可以在狹窄的河道上使用。它通過一個錨錠吊起和放下，使外面的人可以進入城堡。

火藥　當時的火藥由硝酸鉀、木炭和硫磺製成，可以在火器中使用引發爆炸。它是由中國人發明的。

火器　現代又稱為「熱武器」或「熱兵器」。指一種利用推進燃料快速燃燒後產生的高壓氣體，推進發射物的射擊武器，比如槍和炮。

海盜

一艘快船輕盈地劃過水面，船上的大炮已經做好攻擊準備，還有一面可怕的黑旗，正迎風飄揚。啊！是海盜來了！

一片片隱秘的海灣，還有一座座星羅棋布、奇形怪狀的島嶼……沒錯，那就是第一批海盜出沒的地點！起初，海盜團夥的數量並不算多，而且各自為戰；可是後來，他們聯合組建了龐大的艦隊，戰無不勝，成為了名副其實的海上霸主。

你想知道在海上探險的第一批海盜是些什麼人嗎？海盜又是從什麼時候開始對船隻發動襲擊和搶劫的呢？

想知道答案，那就趕快鼓起勇氣，開始這段驚險的旅程吧！

早在第一批船隻開始探索大海的時候，海盜便應運而生。

在古代，於海上工作和生活的人都是水手和商人。他們初時很受人尊敬，因為只有非常勇敢的人才會選擇這樣的職業。

最早從事海上貿易的是腓尼基人。他們是航海專家，控制着地中海上的航線。他們售賣葡萄酒、布匹和首飾，精明狡猾，生來適合做生意。此外，愛琴海上的克里特人和希臘人，同樣也是傑出的商人。他們不斷搜尋奇珍異寶，投身於一段又一段驚心動魄的冒險中……

腓尼基商人

腓尼基人的航線

地中海

古羅馬帝國抗擊海盜的戰船

　　可是沒過多久，他們就幹起了壞事，成為海上的強盜。人們無法接受海盜的存在，古羅馬的幾位著名皇帝甚至還頒布了嚴苛的法律，專門針對海盜，因為在他們看來，海盜是危險的罪犯。

　　雖然長期以來古羅馬人一直對海盜窮追不捨，但對古羅馬士兵來說，想要擊敗他們，可一點兒也不容易。沒錯，在陸地上古羅馬士兵的確是所向披靡的，可是到了水裏，他們卻無法應付海盜的狡詐與機敏。幸好，在龐培和凱撒兩位古羅馬的重要人物的嚴厲打擊下，最終將海盜消滅了，而地中海也暫時恢復了一段時期的平靜。

貓頭鷹告訴你

　　在一千多年前的北歐，曾經橫行着一批可怕的海盜——他們是金頭髮，作風強悍的維京人。這些海盜手持利斧，頭上則戴着裝有野牛角的頭盔，令人聞風喪膽。他們所指揮的戰船十分狹長，而且只掛着一面四方形的帆布，即使是逆流，這些船隻的航行速度也相當驚人。

滿載黃金和白銀的蓋倫帆船

美洲的黃金

可是，海盜行為並沒有就此消失！幾個世紀之後，也就是公元1500至1700年間，海盜捲土重來，再一次將大海弄得天翻地覆。他們是有史以來最強大和最兇惡的海盜，而那個時期，也被稱為「海盜黃金時代」。

在那些年裏，海盜成為了大西洋上的霸主。他們把老巢設在加勒比海，並把目標鎖定在駛回西班牙的蓋倫帆船所運載的寶藏上。當時的西班牙人發現了遍地黃金的美洲大陸，並不斷把這筆巨大的財富裝上他們的船隻，運送回國。這怎麼可能不引起各路海盜們的注意呢？要知道，這些海盜就駐紮在安的列斯羣島上，正對着美洲大陸的海岸線。所以，他們個個摩拳擦掌，隨時準備向開回西班牙的帆船發動襲擊。

「黑鬍子」愛德華・蒂奇

　　隨着時間的推移，這些海盜們逐漸聯合在一起，甚至還制訂出一部法典：在海上必須遵守哪些規定，每位水手可以留下多少贓物，又有權擁有多少瓶朗姆酒，諸如此類的問題，都能在法典中找到答案。

　　這些強盜在海上為非作歹，自由掠奪贓物。其中最可怕的應該要數「黑鬍子」愛德華・蒂奇了——他是有史以來最殘暴的海盜。你能想像嗎？他喝的朗姆酒裏居然混雜了火藥！到了戰鬥時，他甚至還把兩根導火線連在自己的帽子上，然後點燃，好讓他的樣子看起來更加恐怖！

貓頭鷹告訴你

　　西班牙的敵人也會專門僱用一些海盜，讓他們去摧毀西班牙的大帆船。這些海盜被稱為「私掠者」，因為他們擁有「私掠許可證」，可以隨時向敵船發動攻擊。最有名的私掠者是法蘭西斯・德瑞克，他可是第一位完成環球航行的英國人！

現在，讓我們走上一艘海盜船，從近處看看海盜們的生活吧。

一般來說，海上航行都會持續好幾個月的時間，而船員不得不面臨各種巨大的危險，比如像山峯一樣高的巨浪，還有猛烈的暴風雨。而且你知道嗎？大部分的海盜都不會游泳……這可真是難以置信吧？

在海上，就連獲取食物和水都是件非常困難的事。所以，水手們只能吃肉乾，還不得不喝下好多好多的啤酒！

白天，海盜們通常在甲板上工作，負責落帆或是擦亮武器，非常辛苦。到了晚上，他們也只能去臭烘烘的大房間裏，睡在潮濕的木板上。要知道，船隻經常會遭到蛀蟲的騷擾，你可試着想像這樣的畫面：一望無際的大海，萬籟俱寂的夜晚，無數隻小蟲不斷發出窸窸窣窣的聲音，伴隨着海盜進入夢鄉……

雖然海上的生活是這樣艱難，可是海盜們都無比熱愛他們的船隻——那可是他們的家，被他們當作珍寶一樣守護着。

海盜們的艙房

　　海盜船還有一個重要的組成部分——那面著名的黑色旗幟！旗幟可是強大的武器，能夠恐嚇敵人，讓他們乖乖投降。

　　可是真正的強行登船又是怎樣發生的呢？一旦發現「獵物」，海盜們便會向它發動攻擊。他們會用大炮發射鐵鍊彈，打擊船桅。不過，他們必須非常小心，不能將船打沉，否則就只能眼睜睜看着自己的戰利品從眼前消失了！在炮火的遠程攻擊之後，便是殘酷的近身肉搏了。每一名海盜都擁有一把手槍和至少一柄短刀，腰間還插着斧頭……你一定能想像，那是多麼可怕的場面吧！

貓頭鷹告訴你

　　起初，海盜船上的旗幟是紅色的，代表鮮血。後來大多變成了黑色，但也可能根據每位船長的喜好變換顏色和圖案。比如兇惡的「黑色準男爵」羅伯茨，他的旗幟所描繪的，就是他和一具骷髏乾杯的場景。

可是，海盜們終年都生活在海上嗎？當然不是！雖然時間不長，但他們依然會在陸地上度過一些時日。像海地龜島、皇家港、馬拉凱博這樣的地方，都是海盜們的賊窩，而這些城市的居民，也全都是不折不扣的土匪和各式各樣的壞蛋。

海盜們在自己的賊窩裏飲酒作樂。他們舉行聚會，享受葡萄酒、威士忌和最上等的煙草，打牌、下棋……用不了幾天，他們就能把自己在一年裏掠奪來的戰利品全部揮霍一空！由於海盜在陸地上的巢穴極其隱蔽，而在海上呢，他們又佔據着絕對的優勢，再加上他們兇殘無比的性格，所以在長達兩個世紀的時間裏，海盜一直是海洋上最令人畏懼的霸主。

海盜們的賊窩之一

海地龜島

一艘海盜船的下場

　　直到十八世紀末，多虧了歐洲各大航海艦隊的持續打擊，海盜才終於落敗，而那面黑色的旗幟，也終於不再讓大西洋上往來的船隻望而生畏。

　　那麼現在的海盜，你知道又是些什麼人呢？我們可以將他們定義為冒險分子、土匪、小偷，但也可以是英勇的水手和異於常人的勇士。也許正是這份勇敢造就了一道神秘又浪漫的光環，始終籠罩在海盜的形象之上，直到今天還這樣的吸引人，這樣的富有傳奇色彩……

貓頭鷹告訴你

　　海盜的形象影響了一批又一批的作家和導演。不知道你有沒有讀過《金銀島》和《彼得·潘》的故事，又或是看過一些有關海盜的電影呢？

現在就讓我們回顧一下與海盜相關的知識。
你懂得回答以下的問題嗎？說説看。

最早出現的海盜都是些什麼人呢？

海盜是在什麼時期發展得最為壯大
的呢？

誰是有史以來最殘暴的
海盜？

海盜們在海上的生活是
怎樣的呢？

海盜們的旗幟大多是什
麼模樣？

海盜們不在海上時，會
隱藏在哪裏？

水手　在十九世紀前，水手並未細分其名稱，故除船長以外的船員都通稱為水手，他們負責船上的各樣工作。

航線　船隻在海中行進的路線。

蓋倫帆船　至少有兩層甲板的大型帆船，船上有三至五根桅杆，配以龐大的船帆，大部分也裝有大炮。

贓物　通過盜竊和搶劫得來的財富。

落帆　把船帆降下，以便摺疊收起。

皇家港　即今天牙買加的首都京斯敦。它是十七世紀後期加勒比海地區的航運中心，當時被認為是世界上最富有和邪惡的城市。

美洲印第安人

看看下面這張圖，它描繪的是什麼場景呢？

　　沒錯，是幾個印第安人！他們戴着插滿羽毛的彩色帽子，正圍坐在一起，抽着一種奇怪的長煙管。每當一個人吸完三口，就會傳給下一個人。說不定坐在中間的，便是最大的印第安部族「蘇族」的首領——坐牛呢。

　　你想知道美洲的印第安人都是些什麼人嗎？他們又是怎樣生活的呢？對於他們的歷史，你是否感到好奇呢？

　　那就趕快翻到下一頁，跟着我一起開始這趟冒險之旅。我們的旅程將從一片遙遠、神秘、還未經勘探的大陸開始……

哥倫布抵達美洲！

聖薩爾瓦多島

大西洋

墨西哥灣

古巴

巴哈馬群島

海地

牙買加

太平洋

　　美洲的印第安人指的是在歐洲人到來以前，所有生活在美洲大陸的土著居民。

　　第一個這樣稱呼他們的人是基斯杜化‧哥倫布──一位著名的航海家。在經歷了漫長的海上航行之後，他於1492年到達了加勒比海的一個島嶼，而當時的他還以為自己是到了印度呢。

　　美洲土著通常又被俗稱為「紅番」，因為他們的身體時常塗抹着一種油和紅土（即赭石）的混合物，用來抵禦蚊蟲的叮咬。

　　你能想像嗎？整個北美洲一共居住着八百多萬個印第安人。他們的祖先以狩獵為生，是在幾萬年前從亞洲來到這裏的。

農民	工匠	漁民	獵人

　　印第安人分成不同的部落，每個部落說不同的語言，數量居然有三百種之多！

　　在東部地區，主要生活着易洛魁聯盟和切羅基族，他們大多是農民；居住在西南熱土地區的是霍皮族、普韋布洛族、納瓦霍族和阿帕奇族，他們除了務農，還會加工金屬；其他部族則多以捕撈三文魚和打獵為生。至於大盆地——也就是猶他、內華達和加利福尼亞等地，因為不適合居住，所以生活在那裏的印第安人很難找到食物；每到夏天，能吃上仙人果、昆蟲、爬行動物，甚至是小老鼠，都已經讓他們心滿意足了。

貓頭鷹告訴你

　　就連愛斯基摩人，也同樣屬於印第安人的範疇。他們的祖先生活在今天的阿拉斯加和加拿大，以捕捉海豹和鯨魚為生。他們夏天住帳篷，到了冬天則會用冰塊堆砌小屋，再用獸皮覆蓋在屋子外頭。如今剩下的愛斯基摩人叫做因紐特人和尤皮克人，他們依舊保留着許多古老的傳統。

至於廣闊的草原上，則居住着蘇族、夏延族、科曼切族和阿拉巴霍族。他們是遊牧民族，以獵捕野牛為生。蘇族人對兵器相當重視，從小就愛舞槍弄棒。他們擁有一種輕便又精巧的弓，用於騎射；而他們的盾呢，則畫着五顏六色的奇妙圖案。

此外，他們的鬥士還會使用一種印第安戰斧。除了學會使用這些真刀真槍之外，蘇族的每一名鬥士還必須上陣抗敵。打仗時，他們都會佩戴護身符，用來保佑平安。

贈予英勇戰士的羽毛

太陽之舞

　　你知道嗎？蘇族人戰服上的羽毛，其實都擁有明確的含義。如果一根羽毛被塗成紅色，那就說明它的主人在戰鬥中受了傷；如果一根羽毛沒了尖頭，那就說明有一名敵人被殺死。在每一場戰役結束的時候，勇士都會收到一根新的羽毛，而那些最英勇的首領，全都戴着插滿了老鷹羽毛的大帽子呢！

　　每一年，草原上的印第安人都會慶祝一個盛大的節日——太陽節，用來祭奠太陽神，並感謝神靈為他們帶來戰爭的勝利，或是莊稼的豐收。在慶祝儀式上，人們會盡情地跳舞，此外還會舉行成人禮。

貓頭鷹告訴你

　　草原印第安人的褲子、罩衫和鞋子全都是用野牛皮做的。人們在儀式上通常會穿着色彩鮮豔的服裝，還綴滿了裝飾。你能想像嗎？一些服飾上的流蘇居然是用箭豬身上的小刺做成的呢！

草原印第安人的典型住所是圓錐帳篷。這種帳篷便於安裝和搬運，最適合需要經常遷徙的部落。安裝的時候，只需要將十二根棍子綁在一起，再用野牛皮加以覆蓋就行。帳篷的頂部有一個開口，可以把煙排出，並透入新鮮空氣。

　　帳篷的內部舒適無比：牀是用野牛皮做的；服飾、器具和兵器都擺放在袋子裏，掛在牆上，完全不佔用空間。一頂圓錐帳篷能夠容納一整個家庭，而部落首領的會議通常會在議事帳篷裏舉行，這種帳篷的直徑甚至可以達到十二米呢！

　　一般來說，印第安人的營地都建在水道附近。

獵捕野牛

野牛的大用處

帳篷　　　　　　馬鞍
兵器和用具
的部件
服裝　　　　　小船

在印第安人的生活中，獵捕野牛是不可缺少的活動。對他們來說，這種動物全身是寶：牛腱可以用來做弓弦；牛骨可以做矛尖；牛角可以做餐具；牛肚子呢，則可以用作烹製食物的容器！印第安人最有名的特色菜之一就是牛肉乾，它是用野牛肉在太陽下曬乾而成的。你是不是也很想品嘗一番呢？

貓頭鷹告訴你

　　美洲土著——尤其是夏延族和拉科塔族——擁有一種特殊的習俗，那就是把一種叫做「捕夢網」的東西贈送給剛出生的嬰兒，掛在搖籃上。在他們看來，這種東西能夠驅除噩夢，捕捉美夢。

遺憾的是，在十六世紀時，印第安人遭到了歐洲人的屠殺，而他們的文化與傳統也隨之遭到毀滅。當時的白人總想不斷征服新的領地，還把印第安人趕去了保留地生活。印第安人的宗教遭到了禁止，而他們的歷史建築也全部毀於一旦。

在1850至1880年間，因為在加利福尼亞發現了金礦，白人又一次向印第安人發動了可怕的戰爭，幾乎導致了文明毀滅和種族滅絕。

但是幸好，印第安人並沒有完全消失！

今天，如果你想見到印第安人，那麼可以去保留地一探究竟。在那裏，你可以找到他們的歷史，還有他們的傳統。在未經污染的景色裏，在富有特色的服飾裏，在儀式、在藝術、在他們千百年來代代相傳的手藝裏，你都還能看見印第安人的文化。

騎兵正在入侵印第安人的村落

帕瓦節

陶器

直到今天，音樂和舞蹈依舊在向我們訴說着印第安人的生活。在印第安人的「帕瓦節」上，鼓手們會一邊擊鼓，一邊用土著語歌唱，還伴隨着舞蹈。這樣的表演甚至會持續一整個星期呢！

美洲土著的藝術同樣受人推崇，他們的陶瓷餐具、繪畫與首飾都相當有名。

貓頭鷹告訴你

印第安人的樂器主要是笛子和鼓。他們的音樂為許多流行和搖滾藝術家帶來了靈感，並被他們重新帶到大家的視線中。

現在就讓我們回顧一下與印第安人相關的知識。
你懂得回答以下的問題嗎？說説看。

美洲的印第安人都是些什麼人呢？

為什麼他們又被稱為「紅番」呢？

他們的兵器有哪些呢？

草原上的印第安人，他們的
房子是怎樣的呢？

蘇族人的主要活動是什麼？

「帕瓦節」是什麼？

詞彙解釋

部落 若干家庭的集合，他們會說相同的語言，擁有相同的傳統，制定自己的法律，並會推舉出一名首領。

遊牧民族 沒有固定和穩定居所的民族。他們不斷遷徙，以打獵和蓄養動物為生。

護身符 石頭或金屬做成的小物件，被認為具有魔力。只要佩戴在身上，便不會受到敵人的傷害。

成人禮 一種儀式。在儀式中，部落中的年輕人必須在長者面前通過一系列的艱難考驗，藉此被成人們所接納。

捕夢網 傳說捕夢網中間有一個圓洞，只有好夢才能通過那個洞，並順着羽毛流下來；而噩夢則會被困在網中，並隨着次日的陽光灰飛煙滅。

保留地 指美國殖民者圈禁印第安人的地區，而居住在這裏的都是在遭遇屠殺之後倖存下來的印第安人。